Rita Poggioli   Elena Pensiero

L'alfabeto
delle
emozioni

GRIBAUDO

Introduzione

Le emozioni nascono insieme a noi e al nostro rapporto con il mondo, ma iniziamo a conoscerle solo quando impariamo a dare loro un nome e a capirne le sfumature. Le emozioni, anche quelle "negative", possono essere utili per comprendere noi stessi e che cosa ci sta a cuore, ci dicono con quali chiavi stiamo interpretando la vita. Ma le emozioni nascono dentro di noi e non sempre escono allo scoperto, spesso è difficile scovarle, distinguerle, riconoscerle. E poi dentro di noi si mescolano, creando stati d'animo, e si strutturano, diventando sentimenti. Accumulandosi, nella crescita di ogni individuo, arrivano a definirne la personalità.

Questa raccolta di filastrocche non vuole porsi come catalogazione esaustiva delle emozioni, ma come un'esplorazione creativa della complessa geografia dell'interiorità nelle sue svariate, forse infinite, forme di espressione. Le parole di Rita Poggioli e le originalissime illustrazioni di Elena Pensiero indagano, scoperchiano, enfatizzano, mostrano, senza alcun intento espressamente educativo, il vulcanico mondo emozionale. Ma nella loro proposta interpretativa toccano sicuramente tasti universali, che risuoneranno in chi legge e guarda e contribuiranno, attraverso il confronto, alla sua alfabetizzazione emotiva.

A come... allegria

L'allegria è leggerezza, non è vento, ma brezza,
non è crosta, ma mollica, è sorridere alla vita.
Giallo intenso è il suo colore, come il sole, come un fiore.

Se ti prende all'improvviso te la leggono sul viso,
l'allegria ti fa cantare, alle volte anche ballare,
ti fa rider senza freno, può esser lunga o di un baleno.

Quando ti prende, incominci a volare,
ti senti leggero tra i monti e sul mare,
la stringi forte e non la lasci andar via
tanto è lo spasso in sua compagnia.

B come...
batticuore

TUM TUM   TUM TUM   TUM TUM
Il mio cuore è una grancassa
che risuona all'improvviso,
che martella nel mio petto
mentre mi arrossisco in viso.

TUM TUM   TUM TUM   TUM TUM
Batte e batte la mia rabbia,
batte e batte la paura,
o la gioia quando è pura.

TUM TUM   TUM TUM   TUM TUM
Per fortuna batte sempre
il tamburo che è il mio cuore,
batterà ancor più forte,
quando scoprirà l'amore.

C come...
commozione

Rigano le guance e toccano i cuori,
le lacrime commosse hanno mille sapori.

Sanno di miele e fragola quando son di contentezza,
hanno un sapore amaro quando sono di tristezza.

Sono assai salate quando son di lontananza,
hanno un gusto buono quando sono di speranza.

Quando gli occhi brillano e una lacrima scende
è questa l'emozione che tutto il cuore prende.

D come...
divertimento

C'è un pagliaccio divertente che fa ridere la gente,
che ti prende per la mano e ti aiuta piano piano
a gustare ciò che hai intorno, come se scoprissi il mondo,
cose semplici mai viste, quando prima eri triste:

giochi e risa di bambini, canti e voli di uccellini,
cielo, mare, terra e sole, erba verde con le viole...
tutto sembrerà più bello, un magnifico acquerello,
che dipingerà la vita di una tinta divertita.

E come... emozione

Il cuore usa il pennello, come un mago del colore
sa far schizzi e opere d'arte, come fosse un gran pittore.
Usa il rosso per l'amore, il bordeaux per la passione,
se colora l'allegria, preferisce l'arancione,
usa il nero per la rabbia, mentre il grigio per la noia,
con il verde fa l'invidia, con il giallo fa la gioia,
il bianco per la pace, lo spennella con gran cura,
prende una tinta scura, come il blu, per la paura.
Il cuore lo capisce, se sei triste o sei contento,
sa giocare coi colori, sa sentire le emozioni.

F come... fiducia

C'è un bene prezioso e raro,
che regalo a chi mi è caro
e che a piccole dosi dona il cuore:
la fiducia è una prova d'amore.

È quel segreto che ci unirà,
un patto che nessuno tradirà.
È provare cose nuove senza paura,
la tua mano che mi guiderà sicura.

Ma la fiducia che conta di più
è quella che ho di me stesso,
perché ognuno vede negli altri
il proprio cuore, allo specchio, riflesso.

G come...
gelosia

Quando nel petto senti un bollore
che non è rabbia, non è dolore,
questa emozione credo che sia
forte e improvvisa la gelosia.

Non è giusto, ne sei convinto,
se son io quello che vinco.
Fammi invece un complimento,
un vero amico sarebbe contento!

Capisco un po' anche te
da solo tu eri un re,
ma io son tuo fratello
e in due tutto è più bello.

Dai retta, non è giusto,
non devi stare male,
non essere geloso,
ognuno è un po' speciale.

H come...
hurrà, che felicità

HURRÀ!
Se gioco nel lettone di mamma e di papà.

HURRÀ!
Se il campione al traguardo vincerà.

HURRÀ!
Se il mio piede il gol della vittoria segnerà.

HURRÀ!
Se il regalo che ho chiesto arriverà.

HURRÀ!
Se ogni amico alla mia festa ci sarà.

HURRÀ!
Se la maestra un "BRAVO" mi dirà.

HURRÀ! HURRÀ! HURRÀ!
Se i miei sogni diventeranno realtà.

I
come...
imbarazzo

Si avvicina lenta e mi invade piano,
trattengo il fiato e mi suda la mano.
Accelera il cuore, non riesco a scappare,
il petto si gonfia e mi sembra scoppiare.

Poi sento un brivido lungo la schiena,
non urlo, non parlo, ma sussurro appena.
Una specie di vergogna mi fa diventar paonazzo,
è un'emozione dolce che si chiama imbarazzo.

L come... lagna

Invento bizze di ogni colore:
rosso, verde, giallo e turchese;
so fare pianti, bronci e capricci,
oppure una lagna che dura un mese.

Continuo a lagnarmi finché mi pare,
perché ancora non mi so spiegare,
perché non capite quello che chiedo,
perché voglio star ritto e non mi siedo.

Perché mi piace tanto, quando mi lamento,
vedere che correte veloci come il vento.
Avete capito perché sono un piagnone?
Io cerco giorno e notte la vostra attenzione!

M come... mammite

Io sono il tuo bambino
e tu sei la mia mamma,
noi stiamo bene insieme,
come le fragole con la panna.

Voglio restarti sempre incollato,
come un chewing gum appiccicato,
per gli abbracci che mi dai,
per le carezze che mi fai,
per i tuoi baci caldi di fiamma,
per il tuo odore buono di mamma.

Non posso starti troppo lontano,
se mi allontano mi chiedi la mano,
noi siamo proprio due calamite,
è questo l'effetto della mammite.

N come... noia

La noia è un mostro dal passo lento,
che si avvicina e mi rende scontento.
Mi apre la bocca, mi fa sbadigliare,
mi lascia immobile, senza giocare.

Il tempo non passa se non faccio niente
e penso che l'ozio non sia divertente.
Allora chiedo alla mia fantasia,
per sconfiggere il mostro, una magia.

«Leggi un libro o fai un disegno,
gioca a freccette col tuo tiro a segno,
vai al parco, corri con la bici,
e soprattutto ridi e scherza con gli amici.»

O come... offesa

Ci sei rimasto male per le mie brutte parole?
A volte dalla bocca mi escono da sole.

Sei dispiaciuto perché ti ho preso in giro?
Era per ridere, lo sai che io ti ammiro.

L'offesa è un gesto, una cosa che dici,
che fa molto male se viene dagli amici.

Ma bastano parole dette con il cuore,
"scusa", "mi dispiace" e poi torna l'amore.

P come...
paura

Ho paura se son dal dentista,
se cado coi pattini sopra la pista,
se mamma mi sgrida e mi mette in castigo,
se immagino i mostri anche dentro nel frigo.

Ma la paura più brutta che c'è
è quando di notte son senza di te:
nella mia stanza arrivano tutti...
fantasmi, giganti, i ragni più brutti.

Vi dico un segreto, che forse è magia,
con la mia formula la paura va via:

«Oscura ombra che mi spaventi
e quando ti muovi un mostro diventi,
di giorno sparisci, la luce ti annienta,
ti sciogli come un ghiacciolo alla menta!».

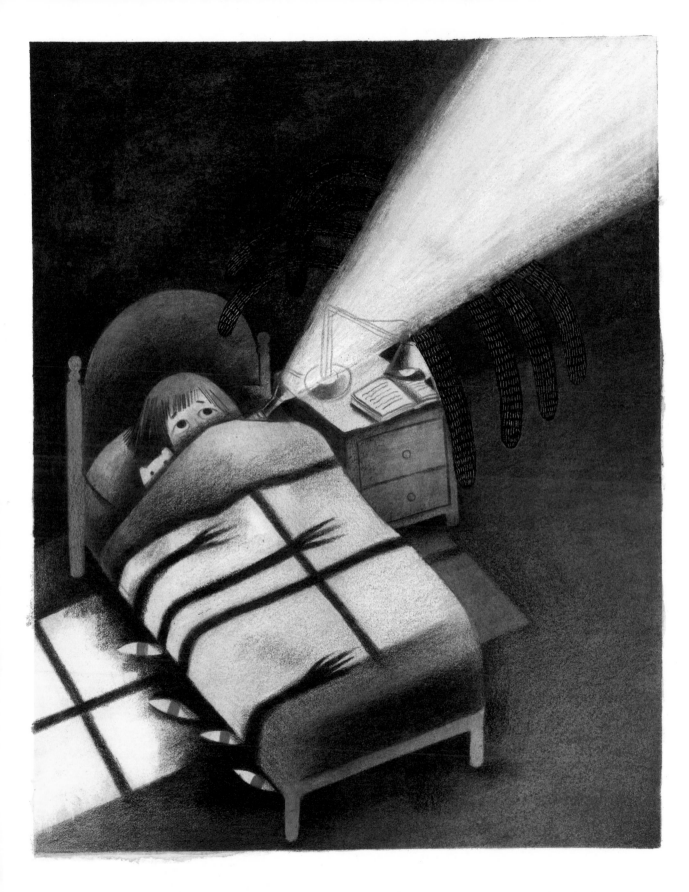

Q come...
quiete

A volte, nella testa, ho come una tempesta,
emozioni in confusione, come dentro un minestrone.
Devo fare questo e quello, ma non vi sembra troppo?
Ci sarà una soluzione per sciogliere l'intoppo?

Vorrei inventare l'orologio del tempo
che segni solo il divertimento,
un telefono che a ogni squillo
mi sussurri di stare tranquillo,
un calendario che ogni giorno
renda contenta la gente che ho intorno.

Per ogni bambino la tranquillità
è il primo germoglio di felicità
e per trascorrere ore liete
dovrà conoscere cos'è la quiete.

R come...
rabbia

Sei sempre imbronciato,
sempre arrabbiato.
Per quale motivo?
Sembri cattivo!

Di motivi ne ho un milione e forse anche di più:
perché il cielo non è verde e il mare invece è blu,
perché d'inverno piove e l'estate è troppo calda,
perché sotto il gelato ci mettono la cialda...
E se ci penso ancora, le trovo veramente
tantissime ragioni dentro la mia mente.
Ma adesso non mi vengono, perché sono furioso
son rosso, son bollente, sono anche capriccioso.

Ma se ti calmi un po' e ascolti l'emozione?
Puoi sciogliere l'enigma e trovar la soluzione.

S come...
sorpresa

Tutto ciò che non si attende
è una sorpresa che sorprende.

Un raggio di sole in una nube scura,
un arcobaleno che gli occhi cattura,
migliaia di luci nel cielo blu blu,
una luna tagliata in due fette lassù.

La sorpresa che sorprende
è più preziosa di quanto vale,
è più bella di quanto appare,
è come un messaggio in una bottiglia,
riempie il cuore di meraviglia.

T

come...
tristezza

La tristezza è una nuvola nera
che spegne il sole da mattina a sera,
lacrime che piovono sui nostri cuori,
che tolgono al mondo tutti i colori.

È un nodo alla gola che scaccia il sorriso,
un peso nel petto che cambia il viso,
è un pianto leggero che senti arrivare
e che dagli occhi non riesci a frenare.

Ma per guarire un bambino triste
la medicina sappiamo che esiste,
anzi di certo più di una ce n'è:
chiedi ai tuoi amici di stare con te,
ai nonni di coccole tanti milioni,
alla mamma di darti grossi bacioni,
al babbo di farti una dolce carezza
e scapperà per sempre la tristezza.

U come... uffa

UFFA, che rabbia!
Non posso uscire e mi sento in gabbia.

UFFA, mi scoccio!
Ho la febbre e dal naso cola giù il moccio.

UFFA, che barba!
A me questo sciroppo proprio non garba.

UFFA, che noia!
Non so cosa fare, vorrei un po' di gioia.

UFFA, che grana!
Mi punge sul collo la sciarpa di lana.

UFFA, che pizza!
C'è il temporale e mi sale la strizza.

UFFA, che brutto!
Oggi è UFFA, proprio UFFA di tutto.

V come...
vendetta

La vendetta di un bambino
è rifiutarsi di darti un bacino,
è una battaglia senza cannoni
fatta di bronci e di lacrimoni.

La vendetta di un bambino
è rifiutarsi di starti vicino,
è una guerra senza spari:
basta che dica «Così impari!».

La vendetta di un bambino
è rifiutarti un bel sorrisino,
è uno scontro pur stando zitti,
dove gli adulti son sempre sconfitti.

Non dare un abbraccio, un sorriso o un bacino
è la sola vendetta che conosce un bambino.

Z come... zelo

Sei sempre molto attento,
non molli mai la presa,
sei bravo e preparato
non è certo una sorpresa.
Ci metti tanto impegno
e buona volontà,
vuoi fare tutto al meglio,
qualsiasi attività.
Che sia un lavoro serio
o un gioco divertente,
se tu ci metti zelo,
non sbaglierai mai niente.

Rita Poggioli

È nata e vive all'Isola d'Elba, dove insegna nella scuola primaria di Portoferraio. Da sempre interessata alla narrativa per i ragazzi, cura da anni la biblioteca della sua scuola, ha realizzato laboratori e circoli di studio sull'animazione alla lettura ed è molto attiva nella realizzazione di progetti didattici su teatro, ambiente, informatica, giornalismo. Ama scrivere fiabe, filastrocche, racconti e libri per bambini.

Elena Pensiero

Nata nel 1988, è un'illustratrice che vive a Gaeta. Prima di tirare fuori dal cassetto l'amore per il disegno, è stata grafica e assistente stilista. Attualmente, oltre a disegnare, è sempre alla ricerca di pini marittimi, foto di galassie e profumi interessanti. Si è diplomata al Master di illustrazione editoriale Ars in Fabula di Macerata nel 2017, questo è il suo libro di esordio.

L'alfabeto delle emozioni

Testi: Rita Poggioli
Illustrazioni: Elena Pensiero

Redazione Gribaudo
Via Garofoli, 266
37057 San Giovanni Lupatoto (VR)
redazione@gribaudo.it

Responsabile iniziative speciali: Massimo Pellegrino
Responsabile di produzione: Franco Busti
Responsabile di redazione: Laura Rapelli
Responsabile grafico: Meri Salvadori
Impaginazione: Natascia Adami
Fotolito e prestampa: Federico Cavallon, Fabio Compri
Segreteria di redazione: Emanuela Costantini

FSC
www.fsc.org
MISTO
Carta
da fonti gestite in
maniera responsabile
FSC® C101934

Stampa e confezione: Grafiche Busti srl, Colognola ai Colli (VR),
azienda certificata FSC®-COC con codice CQ-COC-000104

© 2019 GRIBAUDO - IF - Idee editoriali Feltrinelli srl
Socio Unico Giangiacomo Feltrinelli Editore srl
Via Andegari, 6 - 20121 Milano
info@gribaudo.it
www.gribaudo.it

Prima edizione: 2019 [1(L)]
Seconda edizione: 2019 [4(D)] 978-88-580-2319-8

IL RAZZISMO
È UNA
BRUTTA STORIA.
razzismobruttastoria.net